ウインナー星人と、

今日も
パリッと 英会話

JN029388

Milktea
（川口将太）

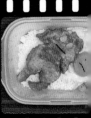

お弁当の世界でくり広げられる
ウインナー星人たちの
楽しいおしゃべりを
英語で楽しみましょう！

　Instagram で大人気のウインナー星人が、ついにおしゃべりを始めました。They've finally found their voice!

　小さなお弁当箱に広がる、大きな世界。

　遊んで、がんばって、時に驚いたり悩んだり、生き生きと動き始めた彼らを追いかけて書き留めた100シーンを、こうして皆さんとシェアできるのが嬉しい!

　彼らの暮らしを眺めながら、「このシーン、どんな英語になるかな?」と考え、「こんな英語になるの?」と発見を喜んでいただけたらと思います。

　ダウンロード音声は、ウインナー星人の vives(雰囲気、波動)が楽しめるボイスドラマ風。

　シーンを楽しむ、真似て声に出す、瞬時に英訳するなど、何度でも聞いて、表現をご自身のものにしていってください。

　怪談を100話語り終えるとこの世にあらざるものが現れる「百物語」なるものをご存じですか?

　皆さんが本書の全100会話をマスターしたとき、ウインナー星人がどこかに現れる! はず!!

　Winn と Winnie は、大冒険するって言ってましたから。

　さあ、始めましょう。Let's get started!

多岐川　恵理

第3章 GUESS WHAT! ちょっと聞いて！

第 1 章

JOIN US!

仲間になろう！！

01 全員整列！
Everybody, line up!

ここに注目！ となりの子／仲間たち／どうも／今度／遊ばない？

 Do you want to・・・？

「〜しない？どう？」という親しみのこもった誘い。初対面でもフレンドリーな
Winnieです。want to を wanna にしたらもっとカジュアルに。

Do you want to go see a movie? 映画を見に行かない？
Do you wanna grab a coffee? コーヒー飲みに行く？

やあ! ぼく、ウィン。
Hi! I'm Winn.

となりの子はガールフレンドのウィニー。
This girl next to me is my girlfriend, Winnie.

そして仲間たち。
And the others are my buddies.

どうも!
Hey!

今度あなたも一緒に遊ばない?
Do you want to hang out with us sometime?

Milkteaさん に聞きました!

ウインナー星人たちは どうやって生まれたの でしょう??

ちくわを被せたら 可愛かった

チーズはたまたま レンチンした時に 溶けました

ブロッコリーは アフロ的な…

15

02

妄想日記
Fantasy diary

ここに注目！　我ながら天才／どうぞどうぞ／えーっと／なんて言えばいい？

 Eri先生の
ひとこと

Be my guest.

「どうぞご自由に」「お好きにどうぞ」などの場面で使える表現。単にSure.（もちろん）と言わないところが、Winnの自信、気前の良さ、寛容さの表れ。
食べ物、飲み物をふるまうときに「どうぞお召し上がりください」や「ここは私がおごります」って意味でも使えます。

天才だ、自分で言うのもなんだけど。

I'm a genius, if I say so myself.

これぼくの妄想日記。

This is my fantasy diary.

- -

わたしにも見せて。

Share it with me.

- -

どうぞ、どうぞ。

Be my guest.

- -

えーっと…。これはほんとに…。

Uuum.... This is really ....

なんて言えばいいの?

What can I say?

Milkteaさん
に聞きました!

ウインナー星人たちは
どうやって作ってるの
でしょう??

ウインナーに切れ込みを
入れて、ゆでてから
つまようじで穴を開けて、
ゴマを入れています

03 キラキラの星くず
Glittering stardust

ここに注目！ 発射！／揺れてる／景色が遠ざかる／キラキラしてる／天の川

 a bit

このシーンはちょっと芸術的（a bit artistic）？
a bit は a little と意味は同じで、「ちょっと」というニュアンスのカジュアルな
表現です。
I'm a bit tired. ちょっと疲れちゃった。　He's a bit strange. 彼ちょっと変わってる。

発射！
Blast off!

ちょっと揺れてるね。
It's shaking a bit.

景色が遠ざかっていくよ。
The view is getting farther away.

星がいっぱい、キラキラしてる。
Bright stars are shining all around.

あそこ、天の川が見える？
Do you see the Milky Way there?

04 違和感
Uncomfortable feeling

　自分じゃないみたい／やばい／宇宙人／乗り移られた

 **No way!**

困った！（This is troubling!）これはshockingな展開。
「絶対にイヤ」「とんでもない！」「まさか」「うそ！」「そんなあ」って気持ちを
すべて、No way! が表します。
He wants to borrow my ID? No way! 私の身分証を借りたいって？お断り！

なんだか自分じゃないみたいな感じ。
I don't feel like myself.

わたしも。
Me, neither.

きみ、宇宙人みたいだよ。
You look like an alien.

あなたもね。
You, too.

やばい! ぼくら宇宙人に乗り移られちゃった!
No way! We've been possessed by aliens!

Milkteaさん
に聞きました!

ウインナー星人
いつも登場するわけじゃ
ないんですね

この日は
麻婆ナス星人に
侵略されました。
無性に食べたくなる
ときがあります笑

21

05 春の花畑
Spring flower field

ここに注目！ 春が来た／ぽかぽか陽気／花が咲く／天国はこんな場所

 Eri先生の
ひとこと ## Spring has come!

花より団子の2人だけど、「春が来た！」ってフレーズがお似合いのかわいさ。
過去時制じゃなく現在完了（have＋動詞過去分詞）が使われているのは、「来
ちゃった！今は春！」って表れ。過去形だと、過去に春が来た事実だけで、今
がそうかは表せないのです。

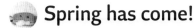
春が来た！

Spring has come!

今日はぽかぽか陽気。

It's nice and warm today.

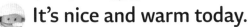
見て！ 花が咲いてる。

Look! The flowers are blooming.

わあ、 なんてかわいい。

Oh, they're so lovely.

天国がこんなところだったらいいね。

I wish heaven were like this.

Have a nice day!

いい一日を!

06 今日を振り返る
Looking back on today

一番楽しかったこと何／いつも聞くね／もっと理解したい

 Eri先生のひとこと ## have a good time

"Have a …!"って、相手を気遣う別れ際のあいさつにも使えます。

Have a good day! いい一日を！　Have a nice vacation！ いい休暇を！

Have a safe trip! 安全な旅を！　Have a good rest! ゆっくり休んでね！

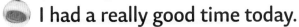

今日はすごく楽しかったね。

I had a really good time today.

ウィニーが今日一番楽しかったことは何？

What did you enjoy the most today, Winnie?

いつもそれ聞くね。

You always ask me that question.

きみのこともっと理解したいんだもん。

I want to understand you more.

,Winny：
英語圏の人たちは、相手の名前をかなり頻繁に会話に入れます。人が最も好きな単語は自分の名前だと言われていて、名前を呼ぶのが時に礼儀であり、友好の証。
この会話の「楽しかったことは？」も、Winnie と呼びかけることで、Winn が寄り添ってくれていると感じられるはず。

07 バレンタインのとき
Valentine moment

ここに注目！　プレゼント／やっぱりダメ／家まで待って／ロマンチックなこと

 I mean・・・.

喜ぶWinnieを目の前にしたWinnの照れが見える一言。「っていうか、つまり」って真意を説明するときや、言いかけたことを「やっぱりそうじゃなくて」って言いなおすときに使います。「私が意味、意図するのは…」が直訳です。

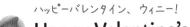

ハッピーバレンタイン、ウィニー!

Happy Valentine's Day, Winnie!

わあ、わたしにバレンタインのプレゼント?　すてき。ウィン、ありがとう。

Oh, a Valentine gift for me. Beautiful. Thank you, Winn.

このかわいいカード、いま読んでもいい?

Can I read this lovely card now?

いいよ、やっぱりダメ。家に帰るまで待って。

Yes, I mean, no. Wait until you get home.

何かすごくロマンチックなこと書いてくれたんでしょ、ねえ。

You wrote something very romantic, didn't you?

Milkteaさん
に聞きました!

かわいいハートの
作り方を教えてください

魚肉ソーセージに
切れ込みを入れて作りました

卵焼きを斜めに
切って作りました

08 おそろいだね！ We're matching!

おそろいの帽子／ゲットする／買わずにいられなかった

> おそろいの帽子をゲット
> **We got matching hats.**

> 買わずにいられませんでした
> **We had to get them.**

 Eri先生の ひとこと **have to ...**

「〜しなければならない」という意味のhave to（had toは過去形）を使って、「どうしようもなく欲しい！買わねば！」という衝動を表しています。
The cake looked so good. I just had to try it. ケーキがすごくおいしそうで、トライせずにいられなかった。　　The sunset was beautiful. I had to stop and take a picture.
夕日がきれいで、立ち止まって撮らずにいられなかった。

09 失礼な！
How impolite!

ここに注目！ 〜なんだって／堅物／死語でしょ

ぼくはスクエア（堅物）なんだって
They say I'm a square.

それ死語でしょ
That's a dead word.

Eri先生のひとこと

square

四角いアタマ。お堅い感じ。「四角張る、四角四面」は真面目で堅苦しいって意味ですが、英語でもsuare（四角）は「堅物、古くさい、つまらない人」なんです。でも、ちょっと古い表現。dead word（死語）も、日本語と英語で同じですね。Stop being such a square. そんな堅物でいちゃダメだよ。

10 生歌サイコー！
Live performances are the best!

ここに注目！　ライブ／なかなか手に入らない／いい席／生で聞くのがいい

Eri先生の
ひとこと　**concert**

豆とコーンでBeanCorn Brothers。推せる4人組。
日本ではクラシックコンサート以外はライブって言わないと古い人間みたいで
すが、英語ではやっぱりconcert。liveは「生放送の、実況中継の、実演の」っ
ていう形容詞ではあるけど、名詞じゃないのです。

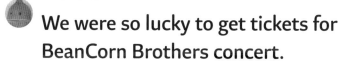

ビーンコーンブラザーズのライブチケットをゲットできたなんて。めちゃくちゃラッキー。

We were so lucky to get tickets for BeanCorn Brothers concert.

今なかなか手に入らないもんね。

They're so hard to get now.

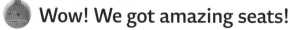

わあ! すごくいい席!

Wow! We got amazing seats!

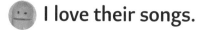

彼らの歌、いいよねえ。

I love their songs.

生で聞いた方が絶対いいよね。

It's so much better to hear them live.

It's 形容詞 to 動詞 ….
「（動詞）するのは（形容詞）だ」

11 ささやかな願い
Humble wish

ここに注目！　降ってきた／通り雨／すぐやみそう／嫌じゃなかったら／相合傘したい

I'd love to …

「〜したい」って願望をダイレクトにぶつける I want to。丁寧にすると I'd like to …（したいです）。like を love に変えた I'd love to は「ぜひ〜したい」。like よりちょっとだけカジュアル。Winn の熱い思いが、丁寧さと親しみを込めた一言に詰まっています。

雨が降ってきちゃった。

It started raining.

傘、持ってる?

Do you have an umbrella?

ない。通り雨でしょ。すぐやみそう。

No. It's just a shower. It won't last long.

きみが嫌じゃなかったら… 相合傘したいな。

If you don't mind...I'd love to share this umbrella with you.

Rain isn't so bad.

雨も悪くないね

12 人生で大事なこと
One key element in life

ここに注目！ 何より大事／程よいバランス／みつからない／だったら／作らないと

 Eri先生の ひとこと

••• is all about •••.

やりたい、やらなきゃいけない。あっちもこっちも。何かひとつで埋められない現実を「バランスがすべて、すべて〜次第、要は〜」と言い切るべく all about で表現しています。 Business is all about connections. ビジネスは人脈がすべて。 It's all about money these days. 近頃は何事も金次第だよ。

34

人生は何よりバランスが大事。
Life is all about balance.

何をするにしても、程よいバランスを見つけよう。
Find the right balance in everything you do.

ときには見つからないこともある。
Sometimes you can't find it.

だったら自分で作り出さなきゃ。
You have to create it, then.

Let me help you.

お手伝いさせてください

英語が口から出るまでの時間を短縮

　とっさに返答できないからイヤになる……。発話までの時間短縮は、英会話の重要課題です。

　コツは、言いたいことの中から真っ先に「誰が／何が、それをする?」を切り出すこと。いつ、どこで、どんな、は後回し。

　昨日公園に行った話をしたい。慌てて英語にすると、yesterday → park → go なんて語順になっちゃう。

　昨日公園に行った……誰が?「私が、行った」だから I went をさっさと口にしてしまいましょう。「行った」につながるどこへ (to park)、いつ (yesterday) は、その後に。

　いや、その後が続かないんだってと思うかもしれませんが、I went が先に出ていれば、たとえ詰まっても相手が Oh, where did you go? とか言ってくれます。それが会話だから。

　そしたら、park の一言だけでも話が続きます。前置詞の to などは、後で獲得したい憧れの品として、未来の自分に託しましょう。

　大丈夫、場数を踏めば「ここ前置詞いるなー」と思える余裕が出てくるし、それがわからずモヤモヤしたら「やっぱちょっと文法勉強しよっかな」と欲も出てくるものです。

　英語にはもうひとつ「誰が／何が、○○だ」という、状態を表す言い方があり、それと「××する」という動作の表現が、すべての基本。

　状態を表すのに簡単なのは be 動詞 (be/is/am/are)。「誰が／何が」と「○○」の間に入れたら完成というシンプルさなので (I am Japanese. みたいな)、慣れるのも早いでしょう。

　間違いのない英語なんて、期待されてません。通じ合いたい、それだけです。Do it!

33 ロケット発射！
Rocket launch!

ここに注目！　ついに／この日が来た／夢じゃないよね

ついにこの日が来た！
Finally, the day has come!

夢じゃない…よね？
This is not a dream..., is it?

dream

夢にもいろんな種類がありますね。Have a good dream!（いい夢を！）
vivid dream 鮮明な夢／recurring dream 繰り返し見る夢／flying dream 飛ぶ夢
scary dream 怖い夢／falling dream 落ちる夢／premonitory dream 予知夢
dream analysis 夢判断

34 熱中症
Heatstroke

ここに注目！　だるい／頭がぽーっと／それどうしたの／いつもどおり／日陰に座る

 heatstroke

Winn は幻覚を見る（see　hallucinations）ほどの危ない状態（dangerous state）に！幻覚は脱水症状（dehydration）のひとつです。

Heatstroke has become a common issue because of global warming.
地球温暖化により、熱中症は一般的な問題になりました。

だるい。 頭がぼーっとする。

I feel heavy. My head is fuzzy.

 まずい、 このひと熱中症になってる。

Oh, no. He's having a heatstroke.

 あれ、 その頭どうしたの?

Hey, what did you do to your head?

 え? いつもどおりよ。 これはひどい。 日陰に座ろう。 お水を飲んで。

What? I'm just the same as always.
This is bad. Let's sit in the shade and
drink some water.

"Let's…." って、 元は "Let us ….".
ということは、 指示やおすすめをするけど自分はやらないってときの「〜しましょう」に "Let's…." は使わないのです。 マニュアルやレシピでは命令形が使われれます。
 Press the button to start.
　ボタンを押して始めましょう。
 Bake for 20 minutes.
　オーブンで 20 分焼きましょう。

35 怖くなりたい
Excited to be scary

ここに注目！　ばあ！／今のどう？／十分こわい／お化け屋敷／夏のバイト

 **Boo!**

こんなお化けに「ぶー！」って言われても怖くないかも？ でも、人を驚かせる
ときの「わっ！」や、お化けに扮して「ばあ！」って言うときのフレーズです。
Peek-a-boo! いないいないばあ！

見た目は大丈夫?

 Do I look OK?

いいよ。

 You look fine.

ばあ! 今のどうだった?

 Boo! How was that?

怖さに不足はないね。

 Scary enough.

みんな一緒にお化け屋敷で夏休みのバイトができるなんてさ、すごくない?

 Isn't that cool we all got this summer job at the haunted house?

Boo!

36 帰り道で
On the way home

ここに注目！　嬉しい驚き／乗ってく？／今日は大変だった／それでそんな感じ

 Eri先生の
ひとこと **That would be great.**

仕事で疲れた帰り道にこんなことあったらいいなーと思って作った会話です。
That would be great. は、親切な申し出に「すばらしい、ありがたい」って言う決ま
り文句。
"That's"じゃなく "That would be"なのは、「もし仮にそうしてくれたとしたら」ってい
う仮定で話してるから。親切を当然と思わない気持ちの表れです。

84

フランク！ 嬉しいけどびっくり！ いま帰り？

Frank! What a nice surprise! Are you going home?

あ、ウィンだ！ そうだよ。 乗ってく？

Hey, Winn! I am. You want a ride?

いいの？ やった！ ありがとう。 今日は大変だったんだよ。

Really? That would be great! Thanks. Today was so tough.

それでそんな感じなのか。 うんうん。

That's why you look like that. I see.

Today was so tough...

37 スター誕生
Stars are born

Eri先生のひとこと hot

いま最高にhotなWinn & Winnie。「熱い」以外にも「激しい、怒った、辛い、ヒリヒリする、好調な、いま話題の、最新の、魅力的な、セクシーな」など、hotにはいろんな意味があるのです。

This curry is too hot for me. このカレー、私には辛すぎる。

86

気分はロックスター。
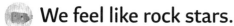

We feel like rock stars.

熱いパフォーマンスをお届けします。

We'll deliver a hot performance.

ステージセットもゴージャス。

The stage setup is gorgeous.

あなたの期待に応えられるよう頑張ります。

We'll do our best to live up to your expectations.

（…の）期待に沿う、応える

それでは僕らの歌を聞いてください。

Then please listen to our songs.

そのまんまがおいしい…Simple is best.

　Milktea さんのウインナー弁当はシンプルで、ちょっとした味変で飽きが来ない感じ（英語で「ウインナー」は Vienna sausage または sausage とよく言われる）。

　日本のウインナーは海外スタッフにも人気だったなあ……って、思い出しました。弁護士事務所でアメリカ人弁護士のもと翻訳などしていた頃のお昼事情。

　先生のランチを買ってくるのも私の役目でした。"What would you like for lunch?"（ランチは何がいいですか?）、親しいスタッフには、"What do you want for lunch?"。

　ある日、ホットドッグを食べていた先生に
"You might want to eat some vegetables."（野菜を食べた方がいいのでは）なんて言ったときのこと。

　" I am! Look!"（食べてる。見て!）

　真剣に指さされたのはケチャップ。アメリカの小学校では、ケチャップは野菜と教えている、バランス良い食事のため食材を分類するポスターにも載っていた、と。へええええ?

　"Lettuce in a hotdog? Ridiculous. That ruins the taste!" （ホットドッグにレタス? ばかな。おいしさが台無し）

　"Simple is best for hotdogs."（ホットドッグはシンプルなのが一番）とか言ってましたっけ。

　Do you agree? やっぱり皆さんもそう思いますか?

第 4 章

SO COOL!

サイコー！

38 深海ダイビング
Deep diving

ここに注目！ 海底まで／深海魚にあいさつ／無謀／合図して／離れないで

 Eri先生の
ひとこと

（That）Sounds ・・・.

人の言うことが「〜に聞こえる、〜に感じる」。形容詞を使ってね。カジュアルな会話では主語が省略されます。好奇心旺盛なWinnとなんだかんだ言ってついて行くWinnie、とてもお似合い（perfect match）です。

That sounds awful. ひどいね。　Sounds fun! おもしろそう！

90

海底まで泳ぐよ。

 We'll swim to the bottom of the sea.

深海魚にあいさつしに行こう。

Let's go to say hi to deepwater fish.

無謀じゃないかと。

Sounds reckless.

> 無鉄砲、向こう見ずな、無茶な

何かあったら合図して。

If anything happens, give me a sign.

離れないでね。

Keep close to me.

Milkteaさん
に聞きました！

このピンクの
深海魚はいったい
何でしょう？

苫小牧の名物・ホッキです！
軽く茹でて、あとのせしました。
カレーに合うんです！！

39 心からのおもてなし
Hearty hospitality

ここに注目! 遠いところはるばる／喜んで／お招きありがとう／くつろいで／郷土料理

**Eri先生の
ひとこと**   **awesome**

もともとは「畏敬の念を抱かせる、荘厳な」という意味ですが、アメリカの話しことばで「すごい、最高、イケてる」って感じでとてもよく使われます。
That's awesome! 最高!
This game is awesome! このゲームめっちゃいい!

遠いところをはるばる来てくれてありがとう。

Thank you for coming all the way down from your place.

いえ喜んで。お招きありがとう。

Our pleasure. Thank you for inviting us.

さあ、入って。くつろいで。

Come on in. Make yourself comfortable.

自分を〜にする

快適な、心地よい

食べてもらいたい郷土料理があるの。

I have a local dish I want you to try.

すごくおいしいです。

This is awesome.

40 流行のエクササイズ
Trendy exercise

ここに注目！ 体験クラス／膝でバランス／体幹トレーニング／激しいな／おっと！

Whoa!

「おっと、うわ、ありゃりゃ」なんてときに使うフレーズ。発音は「ウォゥ！」。
Winn に比べて Winnie は余裕？ 何事もバランスが大事って言ってた Winn、こ
こでも頑張ってバランスを取ってます。

トレーニングスタジオへようこそ！
Welcome to our training studio!

こんにちは。体験クラスに申し込んでます。
Hello. We've applied for the trial session.

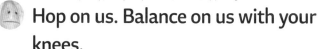
ぼくらに飛び乗って。膝でバランスを取って。
Hop on us. Balance on us with your knees.

これって体幹トレーニングの一種ですか？
Is this a type of core training exercise?

ですね。じゃあぼくら体を動かしますよ。
Right. Okay, we'll move our bodies.

おっとっと、激しいな！
Whoa! This is intense!

41 異国の香り
Exotic aroma

ここに注目！　お風呂の湯／入浴剤／外国っぽい／からだが温まる／いい気持ち

Eri先生の ひとこと　It feels good.

運動で疲れた体を癒やす2人。「いい気持ち」って言いたいとき、「これは私を
気持ちよくする」か「私はいい気分だ」かで主語が変わります。意識してみてね。
The fluffy towel feels good. ふわふわのタオルが気持ちいい。
I feel good when I practice yoga. ヨガをすると気分がいい。

わ、お風呂のお湯がすごい緑。

Wow! The bathwater is so green.

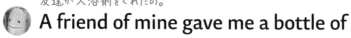
友達が入浴剤をくれたの。

A friend of mine gave me a bottle of bath powder.

すごく外国っぽい匂い。

It smells very exotic.

異国風の、外国っぽい（新鮮、独特、魅惑的などポジティブな意味合い）

からだが温まるよ。

It'll warm us up.

ああ、いい気持ち。

Oh, it feels so good.

Milkteaさんに聞きました！

この緑色のドロドロはナンですか？

いただきものの抹茶カレーです。食べる直前にかけて撮影しました。辛さと苦みがあって不思議なおいしさでした。

42 世間はせまい
Small world

ここに注目！ また会ったね／そのとおり／何度でも嬉しい／いい・おいしい

 **It sure is.**

相手の "It is…." に対して「そのとおり」って同意したいとき、sure を使って「まさに！」って強調してみましょう。"It is." だけでも同意になるけれど、そのときも is を強く言うと、「そうだね！」って感じを出せます。

また会った！
Hello again!

世間は狭いね。
It's a small world!

ほんとほんと。
It sure is.

何度会っても嬉しいよ、だってきみはすごくいい／おいしいもん。
It's always nice to see you because you're so good.

See you around.

じゃあまたどこかで

43 いちばん苦手なこと
Her biggest weakness

ここに注目！ カーナビおかしい／地図が読めない／そもそも／ひどい方向音痴

Eri先生の ひとこと GPS（Global Positioning System）

本来は位置を特定するシステムだけど、アメリカではカーナビを指す語として一般的に使われています。イギリスでは satnav（satelite navigation の略）。このシーンは私の実体験です。

This car is equipped with a GPS. この車にはナビが付いている。

The satnav shows a completely different route. ナビは全く違うルートを示している。

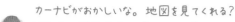
カーナビがおかしいな。地図を見てくれる？

This GPS isn't working. Can you look at the map?

わたしが地図ぜんぜん読めないの知ってるよね。

You know I'm terrible with maps.

あ、そうだった。

Now I remember.

そもそもひどい方向音痴なの。

I have a very bad sense of direction in the first place.

Everyone has weaknesses.

苦手なことって誰にもあるね

44 思い出の一枚
A memorable photo

ここに注目！　散策／知らない人達と出会う／よくしてくれた／思い出を撮る

Eri先生の ひとこと　nice

人でも物でも、日常の会話でほめるときによく使われるのがnice。
「良い、すてきな、快い、素晴らしい、立派な、上品な、洗練された、親切な、友好的な、風味がいい」なんて、これらのどれを言いたい場面でもniceは使えます。便利ですよね。　Nice day. いい天気だね。

初めての場所を散策した。

We explored a new place.

知らない人たちと出会ったよ。

We met new people.

とてもよくしてくれて。

They were so nice to us.

いい人たちだったな。

They were nice people.

思い出に写真を撮ったよ。

We took a photo with them to capture the memory.

Milkteaさん に聞きました！

こ、この
緑の星人は
いったい…？？

卵焼きに、余ってた食紅を
混ぜてみたら、よくわから
ないモンが出現しましたw
味は普通に卵焼きです。

103

45 ありがちなケンカ
Typical fight

ここに注目！ 先に蹴った／押した／ひとりずつ聞く／ケンカするほど仲がいい

No -ing!

親や先生が注意するときの定番。「〜しない！」って、動詞のing形（動名詞）を使って注意します。子どもって元気ですね。（Kids are so energetic.）

No peeping! のぞき見しない！

No talking during the exam! 試験中にしゃべらない！

こらこら、ケンカしないの。

Stop! No fighting!

こいつが先に蹴った。

He kicked me first.

違う、こいつが押した。

No, he pushed me.

わかった、わかった。ひとりずつ聞くから。

OK. OK. I'll hear you out one by one.

けんかするほど仲がいいんだな。

You're so close that you fight.

Milkteaさん
に聞きました！

これなら
卵焼きって
わかりますね！

枝豆が目で
「えだま目」の卵焼き星人…
両どなりは鶏肉星人なので
ある意味（？）親子丼的な
お弁当です。

46 主張するおしゃれ
Fashion statement

ここに注目！ 目立ってる／いい意味／わるい意味

> ぼくら、いま目立ってるよね
> # We're standing out, aren't we?

> いい意味で？ わるい意味で？
> # In a good way or a bad way?

 Eri先生のひとこと in a good/bad way

「いい／悪い意味で」ってこと。wayは「道」のほか「方法、やり方」などの意味があります。

You look different … in a good way. いつもと違うね…いい意味でね。

His joke was taken in a bad way by some people. 彼の冗談を悪い意味に取った人もいた。

47 みんな大好き
Everyone's favorite

ここに注目！ 何にでも合う／ひょっとして／おなかすいてる

> チーズってなんにでも合うね
> ## Cheese goes well with anything.

> ひょっとしておなかすいてる？
> ## Are you hungry by any chance?

---

 by any chance

みんなの総意（consensus）を Winn に言ってもらいました。by any chance は「ひょっとして、もしかして」という定番表現。chance には「好機、チャンス」のほか「可能性、見込み」って意味もあり。

Do you speak Japanese, by any chance? もしかして日本語を話せますか？
Do you have Jay's phone number, by any chance? ジェイの電話番号を知ってたりする？

107

48 頼れるベビーシッター
Reliable babysitter

ここに注目！　お昼寝の時間／かわいい天使／小さな悪魔／おしゃべりしないで／いい子ね

**Eri先生の
ひとこと**　**It's ... time.**

Winnie は attentive（よく気がつく、注意深い、思いやりがある）で、子どものお世話に向いてます。「〜の時間です」という表現は、覚えておくと便利ですよ。

It's lunch time. お昼の時間です。　　It's break time. 休憩だよ。

It's party time! パーティーの時間だ！

「さあみんな、お昼寝の時間!」

"Boys and girls, it's nap time! "

見てください、かわいい天使たち。ときどき小さな悪魔になるんですけどね。

Look at the sweet angels. Sometimes they become little demons, though.

「はーい、おしゃべりしない。抜け出さない。みんなとってもいい子ね。」

"Okay! No talking. No sneaking out. You're all such good kids."

ベビーシッターは楽しいです… ええ、基本的には。

Being a babysitter is fun ... well, mostly.

親が不在のときに乳幼児の世話をする人

49 睡眠不足
Lack of sleep

ここに注目！ もっと寝たい／アラーム解除／忘れずに／ベッドから出ない

make sure

「忘れず確実にやる」と「事実や行動に間違いが無いか確認する」の2つの意味あり。
アラーム解除で開放感を味わう（feel freedom）のは素敵だけど、戻し忘れたら大変
（big problem）！
Make sure you bring your driver's license. 運転免許証を忘れず持ってきてね。
Can you make sure the door is locked? ドアに鍵がかかってるか確認してくれる？

ここんとこ睡眠不足。

I've been lacking sleep lately.

わたしも、もっと寝たい。

I need more sleep, too.

アラーム解除した。

I turned off the alarm.

明日またセットするのを忘れないようにね。

Make sure to turn it back on tomorrow.

明日はベッドから出ないぞ。

I'll stay in bed all day tomorrow.

この本ができるまでのお話（前編）

始まりは、編集者からの「ご相談があります」でした。

Instagramで大人気のウインナー星人のおしゃべり、本にしませんか。

そのとき初めて知った不勉強な私でしたが、数々の画像を見て、「こ、これは…」。

かわいい、おもしろい！ けど、安易に書籍にまとめたら良さが消えちゃいそう。

一方で、ファンタジーの世界で使われるシンプルな易しい英語って、多くの方に楽しんでもらえるかもしれないと思いました。

Milkteaさんの合意を得て、出版社での企画会議で書籍化が決定したら、最初の作業は画像選び。

Instagramを拝見して、まずは「いい！ 絶対に使いたい！」という画像を選んでいきました。かわいい、色がきれい、おもしろい、インパクト大！ なものを。

カレーにピンクのホッキ貝がきらめく「深海ダイビング」や、カニがどーんと大きな「心からのおもてなし」、ブルーがきれいな「海へ逃避」などがそれです。選んでいてとても楽しかった。

次に、たくさんの画像を眺め、WinnとWinnieと仲間たちの楽しいおしゃべりが聞き取れた、ひらめいたものをピックアップ。

ちくわゴーグルがいっぱいの「収集マニア」、皆でごはんに埋もれた「モテたいけど」、大きな頭にマヨネーズぐるぐるの「お悩み解消」、"本書ラストはこれにする！"と思った「一歩踏み出す」など。妄想がはかどる画像がたくさんありました。

同時に、英会話本として入れたいフレーズや、私の頭に浮かんだウインナー星人たちのシーンに合う画像を探す。

切り身で恋人岬を表してくれた「都市伝説」、いつものメンバーになっちゃった「集合！」など。イメージに合うものが見つかると嬉しかったです。　　　　　　　（つづく）

第 **5** 章

HAPPY DAYS!

しあわせな日々!

50 交際記念日
Anniversary of our relationship

ここに注目！ 記念日おめでとう／私たち長くなった／もっと一緒に／同じ気持ちで嬉しい

 Eri先生の
ひとこと

Happy anniversary!

Winn と Winnie は、記念日を大切にするタイプ（the type who values anniversaries）。
ほかにも記念日、お祝いの決まり文句をご紹介。
Happy Holidays! 祝日おめでとう！（年末年始やお盆など複数日にわたるとき）
Happy Mother's Day! 母の日おめでとう！
Happy Late New Year! 遅ればせながら、あけましておめでとう！

記念日おめでとう!

Happy anniversary!

 わたしたち、かなり長くなったね。

We've been together for quite a long time.

 これからもっと長く一緒にいたい。

I want to be with you for many more years.

 同じ気持ちで嬉しい。

I'm glad you feel the same way I do.

We're happy together.

一緒でしあわせ

お祝いサプライズ
Surprise celebration

ここに注目！　水の中／近づく／ハート形／記念日の祝い／なんて素敵

　so sweet

sweet には「甘い」のほか「塩気がない、無塩の」「香りの良い」「心地よい、素敵な」「美声の」など、いろんな意味あり。「（人が）優しい、思いやりのある、親切な、人柄がいい」って意味でほめ言葉に使われることも多いです。ハートのお祝いも、sweet surprise。
Thank you. You're so sweet. ありがとう。 すごく優しいね。

水の中だよ！

We're underwater right now!

- -

すごい速さで何か近づいてくるんだけど。

Something is approaching so quickly.

- -

ぼくの友達だ。

Those are my friends.

- -

ハートを作ろうとしてる？

Are they trying to make a heart shape?

- -

ぼくらの記念日をお祝いしてるんだね。

They're celebrating our anniversary.

- -

なんてすてき。

That's so sweet.

52 断捨離するよ
Working on decluttering

ここに注目！　**断捨離／役に立てて何より／気持ちいい／それを言うのは早い／ゴミの日**

 Eri先生の
ひとこと
Thank you for ...

ありがとうって大事（Saying thank you is important.）。「〜してくれてありがとう」って言うとき、forの後ろに動詞のing形（動名詞）を続けます。
Thank you for telling me. 教えてくれてありがとう。

断捨離を手伝ってくれてありがとう。

Thank you for helping me with decluttering my house.

お役に立てて何より。

I'm glad I could help.

部屋がきれいになると気持ちがいいな。

It feels good when the room is clean.

それを言うのはまだ早くない?

Isn't it too early to say that?

明日はごみの日。

Tomorrow is garbage collection day.

お手伝いしようか?

Do you need a hand?

53 高所恐怖症
Height phobia

ここに注目！　高いところ平気・苦手／私がついてる／手を振る／気分が楽に

 Are you OK with …?

supportive（励まし上手、協力的）なWinnieの本領発揮。「〜は大丈夫？平気？問題ない？」って気遣うカジュアルな表現をここで覚えましょう。
Are you OK with raw fish?　生魚は平気？
Are you OK with that?　あなたはそれでいいの？

ウィニー、高いところ平気？

Are you OK with heights, Winnie?

ぼく実は高いところが苦手で。

Actually, I'm afraid of heights.

わたしがついてる。ほら、あそこに誰がいるかな？

I'm right here with you. Look who's there.

え？ あ、太陽がこっちに手を振ってる！

Huh? Oh, the Sun is waving at us!

気分が楽になったでしょ？

You feel better now, don't you?

54 秋の色
Autumn colors

ここに注目！　紅葉狩り／このあたり／今が見頃／名所／見事ね

 Eri先生の
ひとこと　famous for ...

一目見て（at first glance）、「紅葉の中の2人！（a couple among the autumn leaves）」と思いました。「〜で有名」っていう便利な表現はこちら。

Kyoto is famous for old temples. 京都は古いお寺で有名です。
The hotel is famous for its great hospitality. そのホテルはすばらしいおもてなしで有名です。

紅葉狩りに来てます。

We're here to see the foliage.

このあたり紅葉してるね。

The leaves around here have turned red.

今が紅葉の見ごろだね。

Now's the best time to enjoy the colored leaves.

ここは紅葉の名所なんだよ。

This place is famous for the beautiful autumn leaves.

見事ねぇ!

It's breathtaking!

55 本能的なナニか
Something instinctive

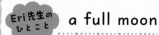ここに注目！　満月は人を狂わす／昔から言う／信じる？／遠吠え／それあなただけ

Eri先生のひとこと　**a full moon**

月や地球はthe を付けるもので、"the Moon" や "the Earth" って大文字で始めることも多いです。でも、「満月（a full moon）」や「美しい月（a beautiful moon）」など、月が見せる状態のひとつを表すときにはa が付くし、大文字も使いません。ちなみに「三日月」はa crescent (moon)。

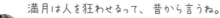
満月は人を狂わせるって、昔から言うね。

There's an old saying: a full moon makes you go mad.

それ信じる?

Do you believe that?

満月を見ると、遠吠えしたくなるんだけど。ならない?

Every time I see a full moon, I want to howl. Don't you?

たぶんそれ、あなただけ。

It's just you, I guess.

推測する

Awoooooo!

56 のどかな露天風呂
Tranquil outdoor bath

ここに注目！　露天風呂／ストレス解消／いつのまにか／笑ってる／出たくない

without noticing

気持ちいいんだなって表情でわかります（Their expressions show how good it feels.）。「気付かないうちに」笑っちゃうなんて。without の後ろに動詞の ing 形（動名詞）を続けると、「〜することなく」って言えます。
She left without saying goodbye to us 彼女は私達にお別れも言わず行ってしまった。

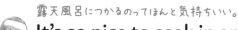
露天風呂につかるのってほんと気持ちいい。

It's so nice to soak in an outdoor hot spring.

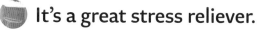
最高のストレス解消法。

It's a great stress reliever.

わたしいつの間にか笑ってた。

I was smiling without noticing.

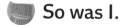
ぼくも。

So was I.

出たくないなあ。

I don't want to get out.

57 月曜日の憂鬱
Monday Blues

ここに注目！　また月曜日／かなり無理ある／毎日が日曜日／平日に頑張る

 Eri先生の
ひとこと

···, I think.

なんか語っちゃって「ちょっと偉そうかも」とか「自信ないかも」ってとき、最後に"I think"って付け加えると、「わたし個人の感想です」って感じにできます。

This book will entertain you and be helpful, I think.

この本はあなたを楽しませ、役に立つ…と私としては思ってます。

また月曜日…。

It's Monday again ....

いや、日が昇らなければ月曜日は来ない。

No. Monday won't come if the sun doesn't rise.

かなり無理があるってば。

That's quite a stretch.

拡大解釈、こじつけ、無理がある

毎日、日曜日みたいに暮らせたらいいのに。

I wish I could live everyday like it's Sunday.

週末が楽しいのは、あなたが平日に頑張ってるから…じゃないかな。

Weekends are fun because you work hard on weekdays, I think.

いい子やめよう
Stop being a good girl

ここに注目！　期待に応える／まじめに考えすぎ／いつもと違う自分／付き合うよ

Eri先生のひとこと　I'm in.

今回はWinnが励まし役（encourager）に。持ちつ持たれつ（mutual support）。計画や提案に「乗った！」と参加や賛成を示すのがI'm in.。断るときには "I'm out." と言えるけど、カジュアルな表現だから、親しい相手に使いましょう。

みんなの期待に応えようと頑張ってるね。

You're trying to please everyone around you.

まじめに考えすぎなのかもしれないよ。

Maybe you're taking it too seriously.

そうかも。今日はいつもと違う自分になってみたい。

Maybe. Today I want to become someone different from usual.

よし、付き合うよ!

Great. I'm in!

I feel refreshed.

Good.

すっきりしたー

よかったー

131

59

もう一人の自分
Another self

ここに注目！ 　いたらどうする／仕事を半分／とか言わないで／絶対しない

I wish I had....

実際に持っていないものについて「〜を持ってたらなあ」。I wishの後に過去時制で続ければ、「〜だったらなあ」って願望を言えます。もう一人の自分。誰でも一度は考えたことがありますよね。(Everyone has thought about it at least once.)
I wish I had a brother. 男兄弟がいたらいいのに。
I wish I could speak French. フランス語が話せたらいいのにな。

132

自分がもう一人いたらな。

I wish I had another me.

もう一人の自分をどうするの?

What would you do with another you?

仕事を半分やってもらう。

I would share my work with him.

わたしのこともシェアするとか言わないでね。

Don't say you would share me with him.

絶対しないって!

I would never!

She's mine!

ぼくの!

60 おしゃれ好き
Fashion-conscious

ここに注目！　おしゃれっぽく／敬意を払う／手ぶらで行けない／花屋さんに立ち寄る

 stop by ...

用事は効率よく済ませたい（I want to efficiently handle my errands.）。「〜に立ち寄る」って表現、覚えておきましょう。"on the way（〜へ行く途中）"とよくセットで使われます。
Can we stop by a convenience store on the way home?
　うちに帰るときコンビニに寄っていい？

134

ぼくら今日はおしゃれっぽくしてます。

We're trying to be fashionable today.

今日訪ねていく人はおしゃれだもんね。

The person we're visiting today is stylish.

こうして敬意を払います。

This is the way we show our respect.

手ぶらでは行けないね。

We can't show up empty-handed.

途中でお花屋さんに寄ったら?

Why don't we stop by a flower shop on the way there?

61 冬の花火
Winter fireworks

ここに注目！　独特の風情／やけどしないで／離れてて／すごくきれい／燃えた匂い

　burn -self

火の取り扱い（handling fire）には気をつけて。「やけどする」は burn -self、「自分を焼く」ってこと。ケガ、切り傷なども、-self を使って言います。
I cut myself shaving. ヒゲをそってて切っちゃった。
Be careful. You could hurt yourself. 気を付けて。ケガしちゃうかも。

冬の花火って、すごくいい。
I love fireworks in the winter.

独特の風情があるよね。
That has a unique charm.

やけどしないでね。
Don't burn yourself.

離れてて。
Stay away.

わあ、すごくきれい。
Oh, they're so beautiful.

この燃えた匂いも好き。
I love this burnt smell.

この本ができるまでのお話（後編）

　作りたいシーンにぴったりの画像がないときは？ Milktea さんにお願いして作ってもらいました。

　絵日記風の「妄想日記」、銀河旅行の「キラキラの星くず」、Winnie が怒ってる「遅刻癖」、ケンカを表現した「ヒビ割れた関係」など、思い出がいっぱい。

　こんな食材でこんな感じでとド下手な絵コンテを出すと、Milktea さんらしさを加えて期待以上の画を作っていただけました。

　各シーンを作り終えたら、今度は私や Milktea さんの「ひとこと」やコラムを。

　表紙案は一足先にできあがっており、書店員さんたちの意見を聞いて、最終2案から「こっち！」と決まったのが今の表紙です。

　それと並行して、初校（原稿が組まれ、最初の校正）、再校と進み、会話フレーズが確定したら、スタジオで音声収録。

　これを書いている今は、スタジオ収録直前。入稿数日前。あらゆることが同時進行（parallel progress）のお祭り状態です。

　書店で販売されるのは、入稿から約3週間後。著者も編集者もそわそわ、喜びと不安がせめぎ合うときです。

　そうそう、この本を制作中に、バンダイナムコさんからウインナー星人のガシャポンフィギュアが発売されました（大人気ゆえ再販も決定）。私も編集者も喜んで自腹で回してゲットしたのですが、なんとなんと、書店でのプロモーション用にバンダイナムコさんから200体を無償提供していただけることになりました。

　皆さまのお近くの書店で、健気にアピールするウインナー星人たちが見られるかもしれません。

第 6 章

ONWARD!

進め！

吹雪に飛び出せ！
Brave the blizzard!

ここに注目！　すごい雪／吹雪／完全防備／思ったけど／まつ毛が凍る

 It's snowing.

雪の妖精（snow fairy）っぽいですよね、雪ん子みたいな2人。英語でお天気や気温のことを表すとき、主語は it にしましょう。

It's cloudy today. 今日はくもりだね。　It's very hot in here. ここ、すごく暑いね。
I think it will rain soon. もうすぐ雨が降ると思う。

すごい雪。

It's snowing so hard.

~~~~~~

吹雪だね。

It's a snowstorm.

~~~~~~

ぼくらは雪に対して完全防備。

We're perfectly bundled up for snow.

~~~~~~

そう思ったんだけどね、まつ毛が凍ってる!

I thought so, but my eyelashes are frozen!

Milkteaさん
に聞きました!

かわいい
コートはどうやって
着せたんでしょう?

ちくわを半分に切って
切れ込みをいれました。

ちょうどいいサイズで
こんなふうに→
頭にかぶせることも
できます。

63 雪に埋もれる
Buried in snow

ここに注目！　大丈夫？／思った以上に／積もる／雪にはまる／抜け出す

**Eri先生の
ひとこと**

OK

大変なことになってるのは分かってるけど、まずケガなどないか、そんな確認をして
いるシーン。OKは「良い」じゃないのです。「問題ない」って感じ。悪くない、順調、
不満がない状態を指します。良いと思ったときにはgoodやgreatって言いましょう。
This is good. これいいね。おいしいね。This is OK. 問題ないよ。ちゃんと食べられるよ。

142

大丈夫？

Are you OK?

うん、大丈夫。

Yeah, I'm OK.

思ったより早く積もっちゃった。

The snow has piled up faster than expected.

そして雪にハマるわたしたち。

Now we're stuck in the snow.

どうしたら抜け出せる？

How can we get out?

Grr...

うぐぐ…

64 お見舞い
Get-well visit

ここに注目！　病院へ見舞いに／早く元気に／あたたかくして／優しさがしみる

 **Eri先生の
ひとこと** ## Get well soon.

病気やケガをしてる人に「早く良くなって」って言う定番フレーズ。Winnieのお見舞いの品（get-well gift）は、元気になったWinnのお願いをきいてあげる券（wish ticket）。回復する（get better）のは早そうです。
Sorry to hear you're sick/hurt. 病気／ケガと聞いて胸が痛みます。
We wish you a speedy recovery. 早い回復をみんなで祈ってます。

病院までお見舞いに来てくれてありがとう。

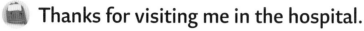
Thanks for visiting me in the hospital.

今日は気分よくなった?

Are you feeling better today?

うん、ちょっと。

Yeah. A little better.

そばにいないとさみしくて。

I miss having you around.

早く元気になりますように。

I hope you get well soon.

あたたかくしてね。

Keep yourself warm.

優しさがしみるなあ。

Your kindness touches my heart.

65 まとまらない髪
Unruly hair

ここに注目！　ぼさぼさ／忙しくて／手に負えない／新しい髪形／試したい

Eri先生の ひとこと　**need a haircut**

ぼさぼさでひどいけど…なんかいいかも。(I kind of like it.)
「髪を切る」って日本語をそのまま"cut (my) hair"って言うと、自分で切ると思われちゃうから、美容師、理容師さんに切ってもらうなら"have/get a haircut"と言いましょうね。

髪が伸びてぼさぼさ。

My hair is long and messy now.

ぼくも。忙しくて切りに行けなかった。

Same here. I've been too busy to go for a haircut.

この髪もう手に負えない。

Now my hair is out of control.

切らなくちゃ。

I need a haircut.

新しい髪形を試してみたいな。

I want to try a new hairstyle.

Milkteaさん に聞きました！

この髪の毛は いったい？？

ウインナーの頭に つまようじで穴をあけて ゆでたパスタを 1本1本差しています

66 国民的ヒーロー
National heroes

ここに注目！ 気のせいかも／国民的に有名なマンガ／似てる／ここまで出てる／度忘れ

 on the tip of my tongue

似てるんだけど、インパクトが強すぎて（too impactful）記憶が邪魔されるもどかしさ（frustration）…。思い出せないときの「舌の先に乗っかっている」って、日本語の「のどまで出かかって」に似てますね。度忘れ（slip one's mind）は「頭をすり抜ける」という意味。

148

気のせいかもしれないけど… わたしたち国民的に有名なマンガの
ヒーローに似てない?

 **Maybe it's just my imagination, but ... don't we look like some nationally famous cartoon heroes?**

そう? なんのマンガ?

Yeah? What cartoon?

あのタイトルなんだっけ? ここまで出てるんだけど。

What was that title? It's on the tip of my tongue.

あ、わかった。 愛と勇気と一緒のヤツだ。 ええっと。 度忘れしちゃったな。

Oh, I know. The guy with love and courage. Hmm, It slipped my mind.

67 ヒーローの孤独
Hero's loneliness

ここに注目！　おいしいか／元気が出た／しゃべれない／心に愛と勇気

 Eri先生の ひとこと　**Yum-yum.**

彼はこの世界でもやっぱりヒーロー！（He's a hero in this world too!）で、やっぱりおいしいんですね。おいしいときのかなりカジュアルな表現がYum-yumやyummy。

It smells yummy. おいしそうな匂いがするよ。　This is really yummy! これすごくおいしい。

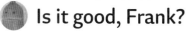

おいしいかい、フランク？

Is it good, Frank?

うまうま。

Yum-yum.

元気が出た？

Do you feel more energetic now?

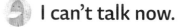

今しゃべれない。

I can't talk now.

いいさ。ぼくの心には愛と勇気がある。

No problem. I have love and courage in my heart.

Take a bite of my face.
ぼくの顔をお食べ

68 超満員
Overcrowded

ここに注目！　　パーティー激混み／抜け出そう／後で怒られる／気付かない

I know.

私がアメリカで初めてこう言われたとき「知ってる。言うな」ってことかと思ってびくっとしたけど、「うんうん、ほんとそうなんだよね」って感じでよく使われるフレーズ。よく似た"I see."は、「わかった、そうですか、なるほどねえ」。どっちもぜひ使ってみて。

いいパーティーだけどさ、ここ激混み。

It's a nice party but so crowded in here.

まったくだ。抜け出そうぜ。

I know. Let's slip out.

後で怒られないかな？

Won't they get mad at us later?

いやー。気付かないって。

Naa. They won't notice.

軽くカジュアルな No.

Milkteaさん
に聞きました！

ウインナー
たくさんで食べるの
飽きませんか？

美味しいし、好きなんですけど
飽きることもあるので
マヨ＆醤油とか
常備してあります

69 無意識に
Without thinking

ここに注目！　　目覚まし鳴らず／うるさい／起こして／眠すぎて／ひどい

 so ～ that ...

寝ぼけてた（half awake）だけ、故意（consciously）じゃない。
「so（あまりにも）〜だから（that以下）だ」を使ってこの続きを書いてみます。
He was so thoughtless that she couldn't believe his actions.
　彼がひどすぎて、彼女は彼の行動が信じられなかった。
She was so angry that she became hungry. 彼女はたくさん怒ってお腹がすいてしまった。

154

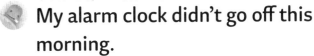
今朝、目覚まし時計が鳴らなかった。

My alarm clock didn't go off this morning.

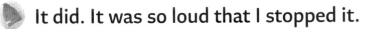
鳴ったよ。すごくうるさかったから止めちゃった。

It did. It was so loud that I stopped it.

止めた？ だったらなんで起こしてくれないの？

You did? Why didn't you wake me up then?

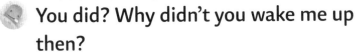
眠すぎて。

I was too sleepy.

ひどい。

That was thoughtless.

不注意な、考えてない、思いやりがない

70 場違い
Out of place

ここに注目！　カップルだらけ／定番デートスポット／ぼっち／来るとこ間違えた

 Eri先生の
ひとこと **dateless**

date には「デート相手」って意味もあり。それがいないから"-less"が付いて「デートしてない、デート相手がいない」という会話表現になります。

よくないとされるもの、なくていいものが取り払われている状態は"-free"で表現。　caffeine-free カフェインレス　　smoke-free 無煙の、禁煙の

そこらじゅうカップルだらけ。

There're so many couples around.

定番のデートスポットだもんね。

It's a classic date location.

ぼっちなの、わたしだけ。

I'm the only one who's dateless.

来るとこ間違えちゃった。

I came to the wrong place.

ウィンいま何してるかな。

I wonder what Winn is doing now.

疑問や興味を示して「〜かな？」「〜かしら？」

Touch it for good luck in love.

さわると恋愛運アップ

71 離れがたい
Hard to say goodbye

ここに注目！　久しぶりのデート／あっという間／遠回り／送っていく／いつ会える

Eri先生の ひとこと one's first ... in a while

「久しぶりの〜」って嬉しさもひとしお。(The joy is even greater.) "in a while (しばらく)"のほか期間を表す語を使って表現できます。

This is his first post in a while. これは彼の久しぶりの投稿ね。
It was our first reunion after 10 years. 僕らの10年ぶりの再会だった。

158

久しぶりのデート。

This is our first date in a while.

楽しいときってあっというまに過ぎちゃう。

Time flies when we're having fun.

終わってほしくないな。

I don't want it to end.

遠回りして送っていくよ。

I'll take you the long way home.

目的地まで遠い道を行く、遠回りする

今度いつ会える？

When will I see you again?

72 気が散ること
Distraction

ここに注目！　成長過程／すごいよね／気になることでも？／大したことじゃない／そっくり

Eri先生のひとこと　Is something troubling you?

何か気がかりなことがあるのかたずねるフレーズ。確かにこれじゃ集中できない（can't concentrate）！　悩み事とは限らないけど、なにか気になってることがあるのかなってときには、こんな聞き方もいいですね。
Is something on your mind?　Do you have something on your mind?

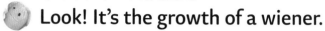

見て、ウインナーの成長過程だ。

Look! It's the growth of a wiener.

こんなことになってるんだね。

I never knew this is how it happens.

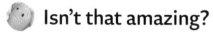

すごいよね?

Isn't that amazing?

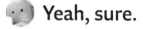

ああ、うん。

Yeah, sure.

何か気になってる?

Is something troubling you?

大したことじゃない。この子、姉のウィニーにそっくりで。

Nothing much. The kid really looks like my older sister Winnie.

サウナ指南
Sauna guide

ここに注目！ サウナブーム／水風呂／ととのう／体と心のバランス／気持ちいい

sauna

Eri先生の
ひとこと

Winn と Winnie もトレンドを追ってます（do something trendy）。sauna は「サナ／ソナ／ソーナ」っていくつか発音があるけど「サウナ」とは言わないので注意。「サウナに入る」はtake a sauna。お風呂やシャワーにもtakeが使えるよ。
take a bath/shower　お風呂に入る／シャワーを浴びる

サウナはすごいブームだね。

There's a real sauna boom.

サウナって初めて。

This is my first time in a sauna.

熱いサウナと水風呂を繰り返すよ。

We'll alternate between hot saunas and cold water baths.

「ととのう」ってどういう意味？

What does "totonou" mean?

体と心のバランスが取れるってこと。すごく気持ちいいんだ。

It means your body and mind find balance. It feels so good.

Enjoy English 子どもに英語をやらせたい？

　お子さんのお弁当にウインナー星人を送り込んでいる親世代の皆さまから、子どもに英語を学ばせたいとよく相談されます。

　私自身の子ども時代を振り返ると、原点は5・6歳、カードを機械に差し込むと音がする知育玩具（トーキングカード）でした。描かれていた人も家もお菓子も新鮮で、その英語をうまく真似すると親にウケたこともあり（顔がおもしろかったらしい）、本当によく遊びました。

　今になって思うのは、幼い私が英語の響きを気に入った、別世界に興味を持った、親が笑ってくれたことが大きかったなということ。

　つまり親が誘導しても子が気に入らなければ、それまで（その子がのめり込める何かは他にある）ですが、もし親が心から一緒に英語学習を楽しめるなら、親の笑顔見たさに子も楽しくなってくる、それが奥の手かなと思います。

　もし子どものうちに英語にのめり込めなくても、大丈夫です。幼いうちに親しんでおけば楽だけど、後からでも追いつける程度。大きくなって、自分がやりたいことに英語が必要だと自覚すれば、そこから勢いよく伸びていきます。

　ただし、そのときにないと苦労するのは母国語の力です。本を読むのが好き、人と話すのが好き、どちらかに当てはまる大人に育っているといい。「この言葉は日本語の〇〇と似てる」「日本語をこう言い換えたら英語に訳せる」「この場面にはこの言葉が合うな」と、習得が早いのです。

第 7 章

WAY TO GO!

すごい、よくやった！

74

眠れない夜
Sleepless night

ここに注目！　起きてる？／起こしちゃった？／明日が楽しみすぎる／眠れない

I'm excited.

「わくわく、テンション上がってる」ってこと。日本語では「エキサイティング」がおなじみだけど、"I'm exciting." って言うと「私はみんなをわくわくさせる人」って意味になっちゃう。
さて、あなたをわくわくさせるもの（exciting thing）は何ですか？ Winn と Winnie の場合…答えは次のシーンで。

まだ起きてる？
Are you still awake?

え？何か言った？
What? Did you say something?

ごめん。起こしちゃった？
Sorry. Did I wake you up?

大丈夫。
It's OK.

明日が楽しみすぎて眠れなくて。
I'm so excited about tomorrow and can't get to sleep.

Milkteaさん
に聞きました！

枕元に敷き詰められているのはナンでしょう？

鷹の爪入りのそぼろです

75 海へ逃避
Seaside getaway

ここに注目！　絶対的極楽／必要としてた／悩みは置いて／いいね！／癒される色

 Eri先生の
ひとこと **leave ... behind**

「〜を後に置いていく、置き去りにする」ってこと。vacationのvacには「空（から）の」という意味があります。人やもの、しがらみ、いろんなことを置き去りにして、空っぽを楽しみましょう。

Hurry up, or I'll leave you behind. 早くしないと置いてくよ。

It's weekend. I'll leave my work behind. 週末だもん。仕事は忘れる。

絶対的極楽。

This is absolute heaven.

 ぼくはこのバケーションを必要としてた。

I needed this vacation.

 わたし悩みは置いてきた。

I left my problems behind.

 いいね!

Good for you!

 青って癒される。

Blue is a healing color.

Milkteaさん
に聞きました!

この青い海は何??
どんなお味
なんでしょう?

これ、富士山カレーです。
ちゃんと辛くて
美味しかったです!

76 注文の多い乗客
Demanding passengers

ここに注目！　宙返り／Uターンして／もっと速く／夢みたいな乗り心地

 Can you …?

「〜できる？」ってたずねてるけど、実質的に「やってみて」「お願い」っていう依頼ですね。ところでWinn、Winnieのおかげで高所恐怖症を克服（overcome height phobia）できたみたい？

Can you hold this for a second?　これちょっと持ってってくれる？

Can you make five copies of this?　これ5部コピーとってきてくれる？

170

うわ、ドラゴンみたいに飛ぶんだね。
Wow! You fly like a dragon.

宙返りできる？
Can you do loops?

U ターンして。
Make a U-turn.

もっと速く！ 速く！
Faster! Faster!

夢みたいな乗り心地。
It rides like a dream.

77 ハロウィンの約束
Halloween promise

ここに注目！　怖そう／いたずらはダメ／お菓子／しないよ／分けてあげる

 Eri先生のひとこと look ...

lookの後ろに形容詞を続けると、「〜に見える」という表現になります。"We're scary.（ぼくら、怖いね）じゃないのがポイント。あくまでも「そう見える」ってこと。

You look tired. 疲れてる様子だね。　　They all look delicious. 全部おいしそう。

ハッピーハロウィン!
Happy Halloween!

トリック オア　トリート!
Trick or Treat!

ぼくら、怖そうだね。
We look scary.

わたしにいたずらはダメだからね。
No tricks on me, please.

しないよ。お菓子を分けてあげる。
I won't. I'll share my treats with you.

Spooky, huh?

怖いでしょ?

78 あっち行け！
Go away!

ここに注目！ 残念な知らせ／わるい奴ら／追われてる／遠くないはず／ほっといて

 news

「ニュース、知らせ、情報」ってよく知られている単語だけど、実はちょっと
ややこしい。sが付いてるけど複数形じゃない。aが付かないけど、単数扱い。
不可算名詞（ひとつふたつと数えられない名詞）なのです。
Bad news has wings. 悪いニュースには翼がある。(飛ぶように広まる)

残念なお知らせがあります。

I have bad news.

――――――――――――――――――――――――

わるい奴らに追われています。

Some bad guys are chasing us.

――――――――――――――――――――――――

あいつらどこへ行った？

Where did they go？

――――――――――――――――――――――――

そう遠くないはず。

They can't be very far.

――――――――――――――――――――――――

ぼくらのことはほっといて！

Leave us alone!

Milkteaさん に聞きました！

ちくわ仮面をかぶった
なめこ星人？なめこ帽子
のちくわ星人？の
つくり方は？？

ちくわを切って、ストローで
穴を空けて口にしてます。
なめこの、にょろーんとした
ところが好きです

175

79 魔法の呪文
Magic spell

ここに注目！　青虫／もともと嫌い／やみつき／魔法をかけた／ディナーに文句

 Eri先生の ひとこと　**originally**

あの表情！（That expression!）。なんとも言えません。（It's indescribable.）
originallyは「もとは、そもそも」。出身地について話すときにも使えます。
I'm originally from Nagoya. もともとは名古屋出身なんです。

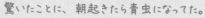

驚いたことに、朝起きたら青虫になってた。

To my surprise, I woke up as a caterpillar.

もともと野菜が嫌いなんだ。

I originally didn't like vegetables.

今はレタスがおいしすぎてやみつき。

Now the lettuce tastes so good that I can't stop eating it.

彼女が魔法をかけたんだ。

My girlfriend cast a spell on me.

昨日のディナーに文句をつけたぼくが悪かったよ。

Sorry I complained about dinner last night.

**Milkteaさん
に聞きました！**

なぜに青虫…
作るの大変じゃ
なかったですか？

魚肉ソーセージにパスタを
刺していくのが大変で
何回か途中で折れました笑

サニーレタスは家庭菜園で作った
やつです。

80 一途な思い
Single-minded passion

ここに注目！　餃子／またの名を／それしか考えられない／食べたくてたまらない

I ... not ... anything but ....

もうそれしか考えられない！って2人の気持ちの表れ。"I don't/can't …. (しない／できない)"などの後に「〜以外は何も」を表すanything butを続けます。いま私も餃子を欲しています！（I have a gyoza craving!）
I don't want to do anything but sleep.　寝る以外のことはしたくない。

178

めちゃくちゃおなかすいた。
I'm so hungry.

餃子が食べたい。またの名をポット・スティッカーズ。
I want to eat gyoza, also known as pot-stickers.

餃子! もう餃子のことしか考えられない!
Gyoza! Now I can't think of anything but gyoza!

餃子が食べたくてたまらない!
I'm dying for gyoza!

行こう、行こう!
Let's go, let's go!

Milkteaさん
に聞きました!
餃子、
はみ出しちゃって
ませんか?

顔がデカくて
はみ出てますw
ジャンボ餃子は
正義です!

81

食欲旺盛
Big appetite

ここに注目！　おなかいっぱい／まだならない／なりつつある

まだおなかいっぱいにならない？
Aren't you full yet?

なりつつある
I'm getting there.

**Eri先生の
ひとこと**　not yet

「まだ〜じゃない」ってこと。うんうん、たくさんお食べ！（Eat a lot!）
I don't know yet. まだわかんない。
I haven't had lunch yet. まだお昼を食べてない。
Aren't you finished yet? まだ終わってないの？

180

82 第一声
First words

ここに注目！　新しい友達／友達ができる／かわいいだけじゃない

新しいお友達ができました
We've made a new friend.

ワタシかわいいだけじゃないデス
I'm not just a cute face.

 **Eri先生の
ひとこと**　　**not just**

かわいいのは、大前提（basic premise）。「「単に〜だけじゃない、ただの〜
じゃないよ」って言いたいとき使ってね。
He's not just a regular customer.　彼はただの常連さんじゃないですよ。
It's not just about money.　単にお金だけの問題じゃないよ。

7章 WAY TO GO! すごい、よくやった！

181

83 クリスマス前夜
Christmas Eve

ここに注目！　寝てる間に／だったらいいね／どこかで信じてる／いくつになっても

 You're never too old to ... .

「〜するのに決して年を取り過ぎているということはない」、いくつになっても
チャレンジや子ども心を忘れないためのフレーズ。Winn の強い気持ちを never
で表しています。

You're never too old to fall in love.　いくつになっても恋に落ちていい。

182

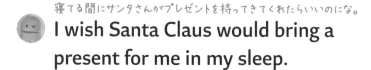

寝てる間にサンタさんがプレゼントを持ってきてくれたらいいのにな。

I wish Santa Claus would bring a present for me in my sleep.

だったらすごくいいね。

That would be so nice.

心のどこかでまだサンタクロースを信じてる。

I still believe in Santa Claus somewhere in my heart.

いくつになっても、クリスマスイブに空を見上げて探しちゃう。それでいいんだよ。

You're never too old to search the skies on Christmas Eve.

Hurry, hurry!

急げ、急げ！

84 クリスマスの出会い
Christmas encounter

ここに注目！　もしやあなたは／ずっと／いい子にしてた／ほとんど／えっと

actually

憧れの存在（icon）を前にどんどん自信がなく（uncertain）なっちゃった Winnie…。「実は、あのね、そういえば、っていうか、意外に、ちなみに、要するに、ところで」など、文頭のactuallyは、使いこなせたらとても便利な表現です。

もしや、あなたのお名前はサンタクロースではありませんか？

Would your name be Santa Claus, by any chance?

ホーホーホー！メリークリスマス！

Ho ho ho! Merry Christmas!

わたし1年間ずっといい子にしてました。あの、ほとんど。えっと、ときどき……

I've been good all year. Actually, most of the time. Well, once in a while....

よしよし、大丈夫じゃよ。

Don't worry. It's OK.

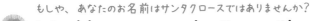

Have you been good?

いい子にしてた？

85 流氷に乗って
Ride on drifting ice

ここに注目！　南極を夢見る／夢がほぼ叶う／そうとも言える／どんな気分／〜なら完璧

 I guess ....

やっぱり本物への憧れが大きい Winnie でした。確信がないけどそうかも、意図的にあいまいにしておきたいとき、出しゃばらないよう明言を避けたいなどのとき「そうみたい、きっとそうだね」って言うフレーズです。
I guess I've said too much. 私、言い過ぎたみたい。

南極に行きたいって、ずっと夢見てた。

I've always dreamed of going to Antarctica.

- -

じゃあ、これってほぼ夢が叶ったみたいなものだね。

This is almost like a dream come true, then.

- -

うーん、そうとも言えるかな。

Uh ... I guess you could say that.

- -

どんな気分？

How does it feel?

- -

いい感じ。ペンギンが見れたらカンペキ。

Pretty good. It would be perfect if I could see penguins.

Milkteaさんに聞きました！
この流氷はナンですか？

我らが北海道・オホーツクの流氷カレーをいただきました。流氷、実は鶏肉です。

86 ペンギンの楽園
Penguin paradise

ここに注目！　いた！／超かわいい／言っておくけど／ヤラセじゃない

あんなとこにいた！ 超かわいい！
There they are! They're super cute!

言っとくけどヤラセじゃないから
Just in case you wondered, I didn't set it up.

Eri先生の
ひとこと　just in case

ペンギン、たくさんいた！（They're all over there!）Winnは得意げ（proud of himself）。"just in case"は「念のため、万が一に備えて」という意味。

I'll make a reservation just in case.　念のために予約をしておくね。
Just in case you didn't know it, today is my birthday!

ひょっとして知らなかったかもしれないけど、今日は私の誕生日！

87 大物の予感
Something big is coming

ここに注目！　チャンスをつかめ／今だ／ためらわないで

チャンスをつかめ！ 今だ！
Seize the chance! Now!

ためらわないで！
Don't hesitate!

Eri先生の
ひとこと　**something big**

つかまえた！（Got one!）「なにか大きなもの」を表すsomething bigは、大きなできごと、なにか大事なものって意味でも使われます。somethingは代名詞で、形容詞を付けるときは後ろにね。

I might have eaten something bad.　何か悪いものを食べちゃったかも。

あとがきに代えて

楽しい！ でも難しい！ やっぱり楽しい！ ……と思った本作りでした。人気者のウインナー星人たちを、私がしゃべらせていいなんて、そんな。

この世にウインナー星人を生み出し、キャラクター命名から物語まで一切を任せてくださり、さらには作画のリクエストにも応えてくださった Milktea さんには、心からの感謝でいっぱいです。Everything started from you! 本当にありがとうございました。

完成したこの本は、Instagram の1フォロワーである私の、まさに fantasy diary（妄想日記）。「思ってた世界観と違う」と思われたウインナー星人ファンの皆さまには恐縮なのですが、数ある世界線のひとつとして許し、お楽しみいただき、さらには新たな物語を作っていただければと思います。

拙著「英会話フレーズブック」（明日香出版社）はおかげさまで多くの方に長く支持をいただいており、その皆さまにも、あの3500フレーズにも入っていない空想世界のリアルな会話を楽しんでいただきたいと意識して、本書を書きました。

ブログ一辺倒だった私が、この本作りをきっかけに Instagram を始め、YouTube にも手を広げたところです。I'm still a newbie（初心者）！そちらでも皆さまの一助となれたら、とても嬉しいです。どうぞコメントを寄せてください。励みになります。

本書がひとりでも多くの方に楽しまれ、英語って楽しいなと思っていただけますように。

Here we go! The story continues. 　さあ、物語はまだ続きますよ。

第 章

TOGETHER WE GO!

一緒に行こう！

88 心を守れ
Protect your heart

ここに注目！ 過去に傷ついた／心の壁／やむをえない／壁を壊す／小さな一歩

 someday

将来の夢や希望について「いつの日か」と語るときに使ってみてね。その日がきっとくると信じて。（Believe the day will surely come.）

I hope to be there someday. いつかそこに行きたい。
Someday I want to be like you. いつかあなたみたいになりたい。

過去に傷ついたことがあるの?
Have you been hurt in the past?

心の壁を作っちゃったね。
You've put up emotional walls.

自分を守るために、やむをえなかった。
You had to do so to protect yourself.

その壁を壊してもいいと思えるときが、いつかくる。
Someday you'll be ready to break down the walls.

小さな一歩を重ねよう。
Take baby steps.

Step by step.

一歩ずつ

89 素のまま
Your natural self

ここに注目！ よだれ／口を開けたまま／これは恥ずかしい／おなかが鳴った

embarrassing

「恥ずかしい、ばつが悪い、気まずい」って意味でよく使われる表現。生きていれば embarrassing なことだらけです。

I fell on the floor. How embarrassing! 床に転んじゃった。超はずかしい！

It was embarrassing when I called him by the wrong name.
彼の名前を間違えて気まずかった。

194

やばい！クッションにヨダレが。
No! I drooled on the cushion.

口を開けたまま寝たんでしょ。
You slept with your mouth open.

これは恥ずかしい。
This is embarrassing.

いまの聞こえた？
Did you hear that?

聞こえたって何が？
Hear what?

わたしのおなかが鳴ったの。
My stomach was growling.

90 夜通し家族で
Overnight family gathering

ここに注目！ 楽しいこと／みんなの好きな／アニメを夜通し／悪くない／どこのピザ

 Eri先生の ひとこと How about -ing?

「〜するのはどう？」って提案するとき、aboutの後ろに動詞のing形（動名詞）を続けて言ってみてね。仲良し家族（close-knit family）、いいな
How about trying the new French restaurant tomorrow?
明日あの新しいフレンチのお店に行ってみるのはどう？

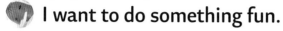

何か楽しいことしたい。

I want to do something fun.

みんなの好きなピザを注文して、おもしろいアニメを夜通し見るとか?

How about ordering our favorite pizzas and watching good anime all night!

悪くないね。っていうか、すごくいい。

That's not bad. Not bad at all.

どこのピザをオーダーしたい?

Which pizza place do you want to order from?

Getting excited...

ワクワクしてきた

91 招かれざる客
Uninvited guests

ここに注目！　この人たち／誰が呼んだの／呼んでない／僕も違う／待って／きみ誰

 Eri先生の ひとこと ## Who are you?

「誰だ？」ってぶしつけな質問だから、よっぽど不審な相手にしか使わないようにね。丁寧にたずねるには、こんな感じでどうぞ。

Can I ask your name? お名前を聞いてもいいですか？

Excuse me, but have we met before? 恐縮ですけど、前にお会いしたことありました？

誰がこの人たち呼んだの？
Who invited all these people?

ぼく呼んでないよ。呼んだ？
I didn't. Did you?

ぼくじゃない。
Not me.

ぼくも違う。
Me, neither.

ぼく待って、きみ誰？
Wait. Who are you?

92 以心伝心
Heart-to-heart communication

ここに注目！ 言おうとしてた／心が読める／わかっちゃう／お見通し／一心同体

 Eri先生の ひとこと I was about to・・・.

「ちょうど〜するところだった、まさにしようとしてた」ってときに使います。
心がつながっている2人（They're connected in heart.）、素敵。
I was about to call you.　今そっちに電話しようと思ってた。
I was about to leave home.　ちょうど家を出ようとしてたところ。

200

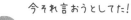
今それ言おうとしてた！
I was just about to say that!

そうなの？
Were you?

ときどきあるよね。心が読めるの？
You sometimes do that. Can you read my mind?

なんかわかっちゃうんだよ。
I just know.

お見通しだあ。
You know me too well.

ぼくらは一心同体。
You and I are as one.

93 ラブラブの２人
Love birds

ここに注目！ すごくラブラブ／バレバレ／世界が明るく見える／恋したい

 easy to ・・・

恋する２人の世界はバラ色。(The world is rosy.)「〜しやすい」って言いたい
とき、easy to … を使ってね。

It's easy to use. 使いやすいよ。 She's easy to talk to. 彼女は話しやすい人だよ。
I know I'm easy to forget. 影が薄いって自分でもわかってる。(私のことは忘れやすい)

202

2人はすっごくラブラブなんですね。
You two are madly in love.

バレバレですよ。
It's so easy to tell.

世界が明るく見えるでしょ？
The world seems brighter, doesn't it?

ああ、恋したい！
Oh, I want to be in love!

Sorry for being so lovey-dovey.

ラブラブでごめん

94 運命の人
You're the one

ここに注目！ すべていい感じ／ほかにない絆／結ばれる運命／運命の人

Eri先生の
ひとこと **like no other**

頑張らなくていい恋が、本物の恋。（True love doesn't require effort.）
「他と違って、唯一無二で」って意味の like no other。ただ違うだけじゃなく、他にな
いくらい特別ですばらしいってこと。
Her smile is like no other. 彼女の微笑みは唯一無二だ。
This place is like no other. こんな場所は他にない。

一緒だと、すべてがいい感じ。

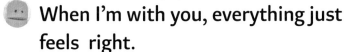 When I'm with you, everything just feels right.

お互いのために作られたみたいに、ぴったり。

We're made for each other.

こんな絆はほかにない。

Our connection is like no other.

きみとぼくは結ばれる運命。

You and I are destined to be together.

あなたはわたしの運命の人。

You're my destiny.

95 愛はそこに
Love is there

ここに注目！ 愛をみつける／愛が私たちを

ぼくらが愛をみつけたんじゃない
We didn't find love.

愛がわたしたちをみつけたの
Love found us.

 Eri先生の
ひとこと **love**

本物の愛は自然にやって来るもの…。（True love comes naturally.）

deep love 深い愛	selfless love 無償の愛
puppy love 初々しい愛	forbidden love 禁断の愛
unconditional love 無条件の愛	lost love 失われた愛

96 底なしの胃袋
Bottomless stomach

ここに注目！ 色気／食い気／そんな日もある

色気より食い気
Food over romance.

そんな日もある
These days happen.

 Eri先生のひとこと

A over B

2つのものを比較して「BよりA」。恋愛は精神力も体力も使うもの。（Romance requires mental and physical strength.）優先順位は臨機応変に。
Quality over quantity. 量より質。Facts over opinions. 意見より事実。
Mind over muscles. 筋肉より精神。

8 章 TOGETHER WE GO! 一緒に行こう！

97 公認の仲に
Relationship becoming official

ここに注目！ 初めて／食事会／第一印象は大事／なごやかに会話／公認の仲

 Eri先生の ひとこと dinner party

晩さん会のようなフォーマルなものから、家に集まって大皿料理とお酒を囲む
ようなものまで。皆さんこの会を楽しんだみたいですね。（The guests seemed
to enjoy the party.）
drinking party 飲み会　year-end party 忘年会　after-party 二次会

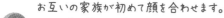
お互いの家族が初めて顔を合わせます。

Both families are meeting for the first time.

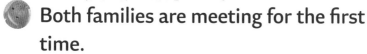
今から食事会です。

We're having a dinner party from now.

第一印象って大事。

First impressions are important.

なごやかに会話してるみたい。

They seem to have a friendly conversation.

僕らはもう家族公認の仲です。

Now we're officially a couple in our families' eyes.

98 大発表
Big announcement

ここに注目！　お知らせがある／ひょっとして／次に進む／おめでとう／みんな嬉しい

 happy for you

私たちも嬉しいですよね？（We're happy for them, aren't we?）
人のことで自分も嬉しいときには、こんな感じで。
Did you pass the exam? I'm happy for you. 試験に受かったの？よかった、私も嬉しい。

みんなにお知らせがあります。

Guys, we have an announcement to make.

ひょっとして…？

Could it be that...?

2人で次のステップに進むことに決めたんだ。

We've decided to take things to the next level.

やったあ！おめでとう！仲間たちみんなすごく嬉しいよ。

That's great! Congratulations! We're so happy for you!

みんなに知ってほしくてさ。

I wanted to let you all know.

99 無敵のカップル
Invincible couple

ここに注目！ 女王様扱い／光栄だ／守る役／なるほど／じゃあ／守り合う

 Eri先生の
ひとこと

Fair enough.

お互い背中は任せろ（I've got your back.）ってことですね。Fair enough. は「十分にフェアだ」が直訳。相手に同意する、提示された条件を受け入れるときに「結構だ」「文句はない」「取引成立」という意味で使われます。

212

女王様みたいに扱ってね。王様みたいに扱ってあげるから。

Treat me like a queen, and I'll treat you like a king.

きみがぼくの女王様だなんて。光栄だなあ！

You're my queen. How blessed I am!

王様はいつも女王様を守るんだからね。

The king always protects the queen.

チェスでは、クイーンはキングを守る役だよ。

In chess, the role of the queen is to protect the king.

なるほど。じゃあ、お互い守り合うってことで。

Fair enough. Then we'll protect each other.

一歩踏み出す
Stepping out

ここに注目！ 冒険魂／別の世界／あるに違いない／危険を冒す／冒険が始まる

There must be ・・・.

「あるに違いない」ってWinnの確信が表れたフレーズ。mustは話し手の「絶対に」（違いない／しなければならない）という強い気持ちを表します。

There must be a good way. きっと何かいい方法がある。

There must be a great future ahead of us. 僕らには明るい未来があるに違いない。

ぼくには冒険魂がある。
I've got an adventurous soul.

外には別の世界があるに違いない。
There must be another world somewhere out there.

危険を冒さなくちゃ、何も手に入らない。
Nothing ventured, nothing gained.

ラッキーなことに、ぼくにはすごいパートナーがいる。
I'm lucky to have a great partner.

新しい冒険の始まりだ!
A new adventure begins now!

Blessings upon
the bravehearts!
勇者に祝福を!

ストーリー・文
多岐川恵理（たきがわ・えり）
岐阜市出身。上智短期大学英語科卒業後、「日本人の多い名門校で埋もれるのでなく、小規模な無名校でトップをとろう！」との決意を胸に米国の Plymouth State University に編入学、マーケティングを専攻。
Cum Laude(成績優秀生) として卒業。貿易会社やライセンス商社勤務を経て、現在は「大人の英語学習を楽しく」をモットーにライター、翻訳者、講師として活動。
企業研修では、新入社員から管理職まで幅広く英語学習法、TOEIC、ビジネス英語を教える。
「大人の英語学習を楽しく」がモットー。TOEIC990 点。講座ではクラス平均 100 点 UP の実績あり。

主な著書に『決定版　英会話フレーズブック』『もう迷わない！　時制の使い方がわかる本』(明日香出版社)『とっさに使える大人の中学英語　役立ちフレーズ 591』（講談社＋α文庫）など 20 万部超。

多岐川恵理オフィシャルサイト　https://transmedia-solutions.co.jp/
Instagram @eri.taki_english
Youtube @EriTaki English

ウインナー星人制作・画像
Milktea（川口将太）
ウインナー星人製作所。
北海道苫小牧市在住。
美容師の仕事の傍ら、Instagram でウインナー星人弁当を 2022 年 4 月からほぼ毎日投稿。
手軽にそろう食材で作る、さまざまなウインナー星人の日常が評判を呼び、いつの間にやら総フォロワー数 12 万超。
ウインナー星人は、バンダイナムコからガシャポンに登場し話題を呼んでいる。

Instagram @milktea.1122
X　@milktea7384

ウインナー星人と、今日もパリッと英会話

2024 年 7 月 17 日　初版発行

著者	多岐川 恵理
	Milktea （川口将太）
発行者	石野栄一
発行	明日香出版社
	〒 112-0005 東京都文京区水道 2-11-5
	電話 03-5395-7650
	https://www.asuka-g.co.jp
デザイン	lilac　菊池　祐／今住　真由美
組版協力	末吉喜美
校正	Adam Mcguire
印刷・製本	シナノ印刷株式会社

第4章 SO COOL! サイコー！

第5章 HAPPY DAYS! しあわせな日々!

第6章 ONWARD! 進め！

音声データについて

　本書の会話（和訳＋英文）の音声は、パソコンや携帯端末の音楽アプリで聞くことができます。下記にアクセスし、音声データ（mp3 形式）をダウンロードして聞いてください。

　https://www.asuka-g.co.jp/dl/isbn978-4-7569-2340-0/index.html

　ダウンロードパスワードは、【2340100】　です。

【ASUKALA】アプリで聞く

　お持ちの端末に明日香出版社音声再生アプリ【ASUKALA】をインストールして聞くと、ダウンロードした音声がいつでもすぐに再生でき、音声の速度を変えられるなど学習しやすいのでおすすめです（無料です。個人情報の入力は必要ありません）。

※ 音声ファイルは、一括した圧縮ファイルをダウンロードした後に解凍してお使いください。
※ 音声の再生には、mp3 ファイルを再生できる機器などが必要です。ご使用の機器、音声再生ソフトなどに関する技術的なご質問は、ハードメーカーもしくはソフトメーカーにお願いします。
※ この音声は、図書館利用者も聞くことができます。本と一緒にご利用ください。
※ 音声ダウンロードサービスは予告なく終了することがあります。
※ CD で音声を聞きたいお客様は、ホームページよりお問い合わせください。　https://www.asuka-g.co.jp/contact/

ナレーター：ジェニファー　オカノ
カレン　ヘドリック
五十嵐　由佳

第 2 章

GOTCHA!

わかった／つかまえた！

13 意外な仲
Unexpected bond

ここに注目！　　仲がいい／めったに会えない／そうでもない／ちょっと話す／のぞき見る

Eri先生の ひとこと　hardly

「ほとんど～ない」で、これ自体が否定の意味を持ち、notと一緒に使えません。月と太陽のあいさつは"What's up?"かな。「何が上にある？」が直訳だけど「どうしてる？元気？」って意味の定番フレーズ。

I hardly slept last night.　昨夜はほとんど眠れなかった。

I'm hardly ever home.　家にはめったにいない。

太陽と月がすごく仲がいいって知ってた？

Did you know the Sun and the Moon are good friends?

ええっ、ほんとに？ あの2人めったに会えないのに。

Are they really? They can hardly see each other.

いや、そうでもなくて。毎日ちょっと話してるんだって。

Well, actually, they chat a bit every day.

ちょっとのぞいて確かめてみよう。

Let's go take a peek and see.

のぞき見る 　　　　　見る、確認する

14 今日の気分
Today's mood

ここに注目！　何しようか／ドライブしたい／行きたいところ／見たことないもの

 **Eri先生の
ひとこと**　**I feel like -ing.**

「〜したい気分」を表すのにぴったりな表現。動詞のing形（動名詞）を使います。名詞を使って「〜の気分」とも言えます。
I don't feel like drinking. お酒を飲みたい気分じゃない。
I feel like pasta tonight. 今夜はパスタの気分。　I feel like crying. 泣きたい気分。

40

今日は何しよっか？

What are we going to do today?

ドライブしたい気分。

I feel like going for a drive.

いいね。どこか行きたいところある？

Sounds great. Is there any place you want to go?

まだ見たことがないものを見てみたいな。

I want to see something I've never seen.

What's that over there?

あそこのあれ、何？

15 終わりと始まり
Ending and beginning

ここに注目！　これを見せたかった／息をのむほどきれい／夕日／朝日

Eri先生の ひとこと　someone else

someone は「誰か」。else が付くと「他の誰か」。Winn の言葉は someone's sunrise でも間違いじゃないのですが、someone else's とすると、「自分ではない誰か」が強く意識されて、遠くの見知らぬ誰かとの対比が鮮やかになります。

I don't know. Ask someone else.　わかんない。他の人に聞いて。
She has someone else in mind.　彼女は誰か他に意中の人がいる。

こっちに来て。これを見せたかったんだ。

Come here. I wanted to show you this.

ここからの夕日、息をのむほどきれい。

The sunset from here is breathtaking.

ぼくらの夕日は誰かの朝日。

Our sunset is someone else's sunrise.

すべての終わりが、新しい始まりなのね。

Every ending is a new beginning.

Milkteaさん
に聞きました！

こ、この
イクラと鮭は…！？

地元・北海道産まれの
贅沢な親子丼です。

16 モテたいけど
Dateless

ここに注目！　彼女いない／聞くな／埋もれた宝／絶対にそう／見つけづらい

Eri先生の ひとこと　definitely

「確かに、間違いなく、はっきりと」という意味で、自信と確信の表れ。「もちろん！」って返答にも使えます。
(Do you think he'll win?) Definitely!（彼が勝つと思う?）もちろん！

44

ぼくら、なんでカノジョがいないのかな？

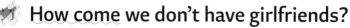

How come we don't have girlfriends?

ぼくに聞くなんて。

Don't ask me.

ぼくらは埋もれた宝だよ。

We're hidden gems.

それは絶対そう。

We definitely are.

ぼくらはほんとにすごい。でも発見が難しいんだな。

We're really great, but hard to find.

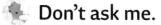

How come …?
why よりカジュアルな「どうして…？なんで？」。後ろを疑問文の形にせず続けられるので、why より使いやすいかも。
Why don't they notice our charm? みんななぜ僕らの魅力に気づかない？
Why aren't we more loved? なぜ僕らはもっと愛されない？

17 環境にやさしく
Think green!

ここに注目！　みどりの日／ってわけで／グリーンになる／星を助ける／環境に優しく

go green

海、山、空へ、お出かけ (outing) 大好きな Winn と Winnie も環境問題には興味津々。
go には「〜の状態になる」という使い方があり、go green は「環境に配慮した行動を
取る」という慣用句。
Yuck! This onion has gone bad.　おえっ！ この玉ねぎ腐ってる。
He's gone crazy.　彼は頭がおかしくなっちゃった。

今日は、みどりの日。

It's Greenery Day today.

ってわけで、グリーンになっちゃう！

So, we're going green!

この星を助けちゃう。

We will help the planet.

ぼくらと一緒に環境に優しくなろう。

Let's go eco-friendly with us.

Did you bring your

reusable bag?

エコバッグ持ってきた？

かくれんぼ
Hide and seek

ここに注目！　　鬼／10数える／もういいかい／まあだだよ／いま隠れてる／行っちゃう

Eri先生の ひとこと　it

「自分も隠れた方がいいのかな」っていう太陽の顔がポイント。英語圏に「鬼」はいない。でも、鬼ごっこもかくれんぼもあって、鬼はitと呼ばれます。「鬼ごっこ」はtag。民話などに出てくる人食い鬼はogreやdemon。マンガ「鬼滅の刃」の英題は"Demon Slayer"です。（slayer＝殺害者、退治人）
Let's play it/tag. 鬼ごっこしよう。

今日は子どもに返ってかくれんぼしよう。

Let's play hide and seek like kids again today.

いいよ。ウィンが鬼ね。

Alright. You're it, Winn.

---

10 数えるね。1, 2, 3……。もういいかい?

**I'll count to ten. One, two, three ....
Are you ready?**

まあだだよ。いま隠れてるとこ!

Wait. I'm still hiding!

まだって言っても行っちゃうぞ!

Ready or not, here I come!

19 シャイな幼なじみ
My shy childhood friend

ここに注目！　紹介したい／幼なじみ／はじめまして／そっぽ向く／女の子にシャイ

I want 人 to ･･･.

誰かに何かしてほしいときの表現。Winnの言葉は「僕の友達に会ってほしい」が直訳。
丁寧に言いたいときは"would like"を使います。
Frankは照れ屋。ちなみに「フランクフルト」はFrrankfurt。後半の発音はファートです。
I want him to be more careful. 彼にはもっと注意深くなってほしい。
I'd like you to help me with this. あなたにこれを手伝ってほしい。

ウィニーに友達を紹介したくて。

Winnie, I want you to meet my friend.

フランクっていうんだ。幼なじみ。

This is Frank. We grew up together.

- -

こんにちは、フランク。どうもはじめまして。

Hi, Frank. It's very nice to meet you.

（なぜそっぽを向いてるの？）

（Why is he looking the other way?）

- -

こいつ女の子に対してシャイなんだ。

He's shy around girls.

I'm shy, but I'll give it a try.

シャイだけど、
がんばってみる

20 すごい想像力
Rich imagination

ここに注目！　急いで帰る／いいけどなんで／もうすぐ降りだす／綿菓子

Eri先生の ひとこと　home

home と house って、どんなイメージ？
実は house は建物、home は人々の生活の中心の場ってニュアンスの違いがあるのです。暮らしのあたたかさを感じる home に、Winn と Winnie は帰っていきます。
I want to buy a house. 家を買いたい。　I want to stay home. うちにいたい。

急いでうちに帰ろう。
Let's hurry home.

いいけど、なんで？
OK, but why?

あれは雨雲。もうすぐ降りだすよ。
Those are rain clouds. It's going to rain soon.

あの雲、綿菓子みたい。
The clouds look like cotton candy.

なんでも食べ物に見えちゃうんだね。
Everything looks like food to you.

21

地球旅行
Trip to the Earth

ここに注目！　何度か行った／あそこはおいしい／何だっけ／きれいなところ／いつかまた

 local

「地元の、現地の」という意味。「田舎」は countryside や rural area。
とても active な Winn と Winnie。いろんな場所で、local customs（地元の風習）
や local specialty（名産品）を楽しんでほしいです。
Think and act like local.　地元の人のように考え、行動しよう。

地球へは何度か行ったことがある。

I've been to the planet Earth.

あそこは食べ物がおいしかった。

I liked the food there.

地元のものを食べたんだよ。何だっけな。

I tried some local food. What was that?

きれいなところだったよ。

It was a beautiful place.

いつかまた行きたいな。

I want to visit there again sometime.

Let's go together next time!

今度は一緒に!

 superstition

Winn は superstition（迷信）を信じない、Winnie は信じる人（superstitious person）。恋する女の子（girl in love）だから、余計に気になっちゃうのかもしれません。恋といえば、鏡に映る自分の影を見ながら口紅を塗ると素敵な恋ができるって、西洋の superstition です。

「恋人岬の呪い」って聞いたことある？

Have you heard of the "Curse of the Lovers Point"?

聞いたことない。

I've never heard of it.

たくさんのカップルが、この場所に来た後に別れてる。

Many couples break up after visiting this place.

なんでもっと早く教えてくれなかったの？

Why didn't you tell me earlier?

ただの迷信だよ。

That's just a superstition.

23 お悩み解消
Easing worries

ここに注目！　不安／もやもや／大きさはそれぞれ／悩みは誰にも／いつでも話して／心が軽く

 anytime

anything,anytime（何かあるなら、いつでも）に、Winnie の kind-hearted（優しい）、supportive（支援する）な気持ちが表れています。

anytime は always（常に、ずっと）と似てるけど、区別してね。

Call me anytime. いつでも電話してね。I'm always on your side. 私は常にあなたの味方。

Eri先生のひとこと

58

不安? もやもやしてる?

Feeling uneasy? Frustrated?

大きさはそれぞれだけど、悩みは誰だってあるよね。

Big or small, everyone has problems.

もし何か心配事があるなら、いつでも話してね。

If you're worried about anything, you can talk to me about it anytime.

話を聞く誰かがいるだけで、心が軽くなるかもしれないからね。

Just having someone to listen to you may help you feel lighter.

Please share with us.

聞かせてほしいな

24 集合！
Gather up!

ここに注目！ 結局いつものメンバー／悪くない／急な誘い／こうなる気がしてた

 kind of ・・・

「なんとなく、ちょっと」って、ぼかした言い方をしたいとき、ありますよね。
kind of（ある程度、多少、やや）が便利です。
I kind of knew that. なんとなく知ってた。 I feel kind of sick. ちょっと気分が悪いみたい。
He's kind of strange, isn't he? 彼、なんかちょっと変じゃない？

60

結局、いつものメンバーってことに。

We've ended up with the usual members.

それも全然悪くない。

That's totally fine.

急な誘いだったし。

It was short notice, you see.

こうなる気がしてた。

I kind of figured that.

考える、判断する、推測する

なじみの仲間がそばにいるっていいね。

Good to have familiar faces around.

英語を聞き取る耳がほしい

◇ さまざまな音声素材を聞く

◇ 同じ音声素材を繰り返し聞く

英語のリスニング力を上げるのに効果的なのはどちら？ 私が推すのは後者です。

① 英文、和訳、英語音声が揃った短い素材（この本でも！）を用意。

②英文を聞く。聞き直して理解度が上がりそうなら、何度か聞き直す。内容が半分
　も理解できないようなら、別素材にするか和訳をさっと見ておく。

③ 読み上げ箇所を指で追いながら英語音声を聞く。何度も。意味は考えなくていい。
　音に集中。

　③のとき、あたかも自分がこの音を出しているかのように話者になりきって聞きましょ
う（エアギター奏者のあの感じ）。

　とはいえ、なりきり演技より英語の音を集中して聞くことが最優先。全身を耳にして
聞きます。

　英語には、単語の終わりと次の始まりがつながる「リンキング」や、音が抜け落ちる「リ
ダクション」があり、それが聞き取りを難しくしています。同じ素材を何度も指さしリス
ニングすることで、綴りと音の関係、リンキングやリダクションを自然に覚えるのです。

　文字を見ず音だけを聞いたときに、リンキングやリダクションがありありとわかるよう
になっていたら、その素材は卒業。次の素材にトライしましょう。

　リスニング力は「音を聞き取る」と「内容を理解する」の2つで構成されています。
音がある程度聞き取れる力が付いてからだと、さまざまな素材を聞くことが、内容を把
握するトレーニングになります。

第 3 章

GUESS WHAT!

ちょっと聞いて！

25 意外な一面
A new side of her

ここに注目！ アウトドア派／寝袋／いい感じ／意外と快適／夢を見よう

 Eri先生の
ひとこと ## How do you like ・・・?

「〜は気に入りましたか？印象はどうですか？」ってたずねたいときの定番。知りた
いってだけじゃなく、相手を気にかけていることも自然に伝えられるフレーズです。
How do you like Japan? 日本はどうですか？
How do you like my new hairstyle? 私の新しいヘアスタイルはどう？

きみがアウトドア派だったとは。

I didn't know you were an outdoorsy person.

そうなの。新しい寝袋はどう?

I am. How do you like your new sleeping bag?

いい感じ。意外と快適。

I like it. Surprisingly comfortable.

今夜は優しい海の夢を見そう。

I feel like I'll have a dream of the gentle sea tonight.

outdoorsy:
(話し言葉で) アウトドアの、アウトドアに適した、アウトドア好きの

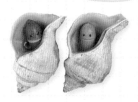

26 収集マニア
Collectomania

ここに注目！ お金の無駄／わかってない／私には／ほとんど一緒／どれも違う

 Look at ...!

「見て！」なんですけど、「ちょっとこれ何！？」って驚き、時には不満をぶつけるときの定番フレーズ。Winnの持ち物なんだから見せるまでもないのですが、Winnieの「ちゃんとよーく見て！考えて！」という気持ちが凝縮されてます。
Look at the mess! この散らかりようを見て！

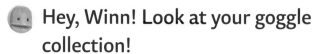

ちょっとウィン！なに、このゴーグルコレクション！

Hey, Winn! Look at your goggle collection!

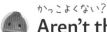

かっこよくない？

Aren't they cool?

お金の無駄じゃない？

Isn't that a waste of money?

わかってないなあ。

You don't know anything.

わたしには、どれもほとんど一緒に見えるけど。

To me, they all look almost the same.

全部ひとつずつ違うのに！

They're all unique!

Aren't they …? :
「そうじゃない？そうでしょ」って確認したい、念押し
したいとき、こうして否定の疑問文にするといいよ。
Isn't it funny? おもしろくない？(おもしろいよね)

67

27 ケンカ売ってる？
Picking a fight?

ここに注目！ 見せつける／そっくり／褒めてる？／メリハリボディ／辞書にない

Eri先生の ひとこと not in my dictionary

ああ。ウィンはやりすぎ、ふざけすぎ（Winn went too far.）。
「私の辞書にない」は、日本語でもおなじみの表現ですが、最も有名なのはナポレオン（Napoleon Bonaparte）のこれでしょう。
The word "impossible" is not in my dictionary. 私の辞書に「不可能」の文字はない。

すてきな着こなしを見せつけてくれるね。

You're showing off your amazing style.

えっと、わたしたちそっくりだって知ってる?

Um... do you know we look just alike?

ゴーグルめちゃ似合うね。

You look great in swimming goggles.

それ、褒めてる?

Is that a compliment?

「メリハリボディ」ってどういう意味かな?

What does "hour-glass figure" mean?

> 砂時計のような、めりはりのある体型

わたしの辞書にはありません。(ためいき)

Not in my dictionary(sighs).

28 遅刻癖
Habitual lateness

ここに注目！ 待たせてごめん／またなの／悪いと思う／そんな怒らないで

mad

「気が狂って」が元の意味だけど、心のバランスが乱れた状態を指して「すごく怒って」や「熱狂して」の意味でも、カジュアルな場面でよく使われます。mad の方が angry より強く怒っている感じ。Winn はちゃんと使い分けてます。

She's still mad at her husband. 彼女は夫にまだすごく怒ってる。

He's mad about his new girlfriend. 彼は新しい彼女に夢中だ。

待たせてごめん。

Sorry for the wait.

またなの。
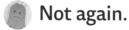
Not again.

本当に悪いと思ってる。

I'm terribly sorry.

そりゃそうでしょ。
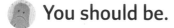
You should be.

そんなに怒らないで。
Don't be so mad at me.

TICK-TOCK

TICK-TOCK

チクタク　チクタク

29 ヒビ割れた関係
A crack in the relationship

ここに注目！　けんか／そもそもなぜ／言うんじゃなかった／まだ怒ってる

I should have -ed ・・・.

常に後悔とセットの表現。実際にはしなかったことについて「〜すべきだったのに」っ
てとき"should have 動詞の過去分詞"を使います。否定文なら「すべきじゃなかった」
になります。

You should have told me. あなたは私に伝えるべきだった。
I shouldn't have drunk so much.　あんなに飲むんじゃなかった。

ウィニーとけんかしちゃった。

I had a fight with Winnie.

ぼくがもっとちゃんとするべきだったのに。

I should have done better.

意地を張っちゃった。

I was being stubborn.

まだ怒ってるかな？

Is she still mad at me?

彼女に電話した方がいいかな？

Should I call her?

I missed the time to forgive.

許すタイミングをなくしちゃった

30 仲直りのきっかけ
Extending an olive branch

ここに注目！　あのさ／先に／そっちから／仲直りしたい／言おうとしてた

Go ahead.

2人が仲直りして、みんなほっとしてる！（We're all relieved!）
2人同時に話し始めたとき「どうぞお先に」って言う定番が Go ahead. です。
相手に道を譲るとき、電車やバスで座席を譲るときにも。言い争いになって
「勝手にしなよ」「やってみな」って場面でも使えます。

74

あのさ…。

You know....

あ、先に言って。

Oh, go ahead.

ううん、そっちから。

No, you go ahead.

仲直りしたい。

I want to make up with you.

〜と仲直りする

わたしも同じこと言おうとしてた。

I was going to say the same thing.

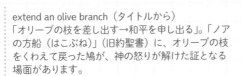

extend an olive branch（タイトルから）
「オリーブの枝を差し出す→和平を申し出る」。「ノアの方船（はこぶね）」（旧約聖書）に、オリーブの枝をくわえて戻った鳩が、神の怒りが解けた証となる場面があります。

31 がまんできない暑さ
Unbearable heat

ここに注目！　熱帯夜／あまりにも暑すぎ／蹴り飛ばす／やって／痛っ！

　way too ・・・

ベッドに太陽。これじゃ暑いはずです。（No wonder it's hot!）
「あまりにも、はるかに、すごく」という、too（〜過ぎる）をさらに強めた表現が
way too …。
I'm way too tired to go out. あまりに疲れ果てて、出かけられない。
This is way too expensive. これはいくらなんでも値段が高すぎる。

76

熱帯夜だね。

It's a hot sticky night.

いくらなんでも暑すぎる！ 熱気で眠れない。

It's way too hot! I can't get to sleep because of the heat.

タオルケットを蹴り飛ばしたい。

I want to kick off this cotton blanket.

いいよ。 やって。

Go ahead. Do it.

痛っ！

Ouch!

えっ！？

What!?

32 森の中
In the woods

ここに注目！　自然／癒し／よく眠れる

自然は癒しだね
Nature is healing.

今夜はよく眠れるね
We'll sleep tight tonight.

Eri先生の
ひとこと　**tight**

熱帯夜の後、ひんやりレタスのお布団で安眠（peaceful sleep）を。tightには「きつい、余裕がない、一糸乱れぬ、かたくしっかりした」などの意味があります。
My schedule is too tight this week.　今週はスケジュールがきつすぎる。
We're pretty tight.　かたい絆で結ばれてます。